セロハンテープ

両面(りょうめん)テープ

じょうぎ

プッシュピン
紙(かみ)にあなをあけるときにべんり。先(さき)がとがっているので、ゆびをさしてケガをしないように、ちゅういしよう。

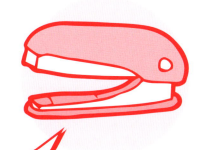

ホチキス
ホチキスせんようのはりをつかうよ。はりがでるところに、ゆびをあててケガをしないようにちゅういしよう。

ゼムクリップ

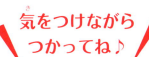

グルーガン
いろいろなものを接着(せっちゃく)することができるピストルの形(かたち)をしたどうぐ。コンセントにつないで、ねつでスティックをとかしてつかう。クラフト用ボンドのかわりにつかうとべんり。あつくなるから、やけどをしないようにちゅういしよう。

気(き)をつけながらつかってね♪

授業でつかえる！おもちゃを作ってせつめいしよう

3巻「びっくり！とぶおもちゃ」

- ▶ はじめに ………………………………… 4
- ▶ この本のつかい方 ……………………… 5
- ▶ 役に立つ 工作のわざ！ ………………… 6

木のたねみたいにとぶ
たねコプター ………………………… 8

ゴムの力でまいあがる
紙コップロケット …………………… 12

ふしぎな形の正体は？
リンググライダー …………………… 16

くるくる回して遠くまでとばそう
紙ざらフリスビー ………………… 20

はくりょく満点
風船ロケット ………………… 24

プロペラはタコのあし
タココプター ………………… 28

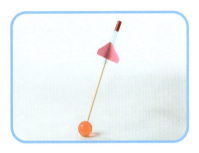

宇宙をめざしてひとっとび！
スーパーボールロケット ……… 32

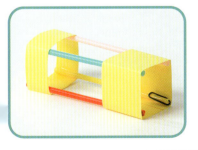

空とぶふしぎなはこ
はこヒコーキ ………………… 36

〈この本にでてくるざいりょうについて〉　ペットボトルは、500ミリリットルのサイズ、
紙コップ中は、205ミリリットルのサイズです。

はじめに

みなさん、こんにちは！　ささぼうです！
この本を手にとってくれてありがとうございます。

ぼくはみぢかなものをつかって、いろいろなおもちゃを工作する動画をYouTubeにとうこうしています。みなさん、工作はすきですか？　ぼくは大すきです！　自分の手で切ったり、はったりをくりかえして、くろうしても完成したときはすごくうれしいですよね。
ストローや紙コップ、せんたくばさみなど、みぢかなものが、すてきなおもちゃにへんしん！　なにかを作り出すって、とてもワクワクしませんか？

この本には、みなさんが楽しく工作をするためのアイデアやヒントをいっぱいつめこみました。
たまには、失敗することもあるかもしれませんが、それも大切なことです。なんどもやり直して、自分の力ですてきな作品を作り上げていきましょう！
この巻ではいろいろな、とぶおもちゃの工作が登場します。まずは本の通りに作って、とばしてみてください。それに、ちょっと手を加えると、もっとよくとぶようになるかも!?　ぜひ、自分のアイデアを足して、高く遠くまでとばしてください。
そして、作り方や自分のアイデアを、家族や友だちにせつめいしてみましょう。
おたがいにアイデアを出し合うことで、よりすばらしい作品になるでしょう。

さあ、じゅんびはいいですか？　さっそくはじめてみましょう！
　　　　　　　　　　かがくらふとチャンネル　ささぼう

この本のつかい方

この本では、みぢかなざいりょうでできる、おもちゃの作り方をしょうかいしています。写真だけでなく、イラストと文でせつめいするページもあります。かんたんなので、まず作ってうごかしてみましょう。

6〜7ページ

工作がじょうずにできる4つのわざをしょうかいしています。

4つのわざをおぼえておくと、いろいろな工作でつかえるよ!

8〜39ページ

それぞれの工作についてしょうかいしています。

工作のざいりょうとどうぐが書いてあります。

おもちゃの作り方を、写真をつかってしょうかいしています。

完成したおもちゃの写真です。

おもちゃのあそび方が書いてあります。

おもちゃの作り方をイラストと文でせつめいしています。

スマートフォンやタブレットでこのQRコードを読みとると、あそび方やうごかし方がわかる動画を見ることができます。

工作を作るときにつかう、わざの番号が書いてあります。

おもちゃのしくみなどについて、しょうかいしています。

※この動画はどなたでも視聴できます。動画は予告なく終了することがあります。
※QRコードは株式会社デンソーウェーブの登録商標です。

役に立つ 工作のわざ！

おぼえておくと、工作がじょうずにできるわざをしょうかいします。

1 紙コップにまっすぐな線を引く

紙コップなど、つつがたのものに線を引きたいときのうらわざです。ガムテープやビニールテープの上にえんぴつをおいて、先を紙コップにあてます。

えんぴつをおさえたまま紙コップを1しゅう回すと、まっすぐな線が引けます。

> 高いところに線を引きたいときは太いテープを、ひくいところに引きたいときは細いテープをつかおう。2本かさねて高さをちょうせつすることもできるよ。

2 紙コップの底をぬく

紙コップの底のふちをはさみをつかって切っていきます。切りおえると、底の紙がはずれてつつのような形になります。

3 紙コップに8等分に切れこみを入れる

　紙コップに8等分に切れこみを入れたいときは、ふちに目じるしをつけてから切ると、うまくいきます。右の写真のような順番で目じるしをつけていきます。①と②、③と④、⑤と⑥、⑦と⑧がちょうどはんたいがわになるようにします。

ちゅうい カッターの刃で、ゆびを切らないようにちゅういしよう。

4 ペットボトルをきれいに切る

　つるつるしてすべりやすいペットボトルを切るときは、じっさいに切りぬくぶぶんよりも、少し外がわにカッターで切れこみを入れます。切れこみから、はさみの刃を入れ、ペットボトルを回しながら、下にむけて切っていくと、切り口がきれいにしあがります。

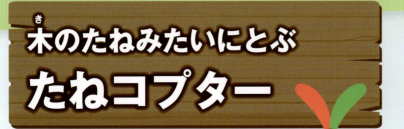

木のたねみたいにとぶ
たねコプター

くるくる
回転しながら
おちてくる！

ざいりょうとどうぐ

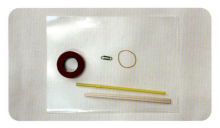

● **ざいりょう**
まがるストロー（1本）、ビニールテープ、わゴム（1こ）、クリアファイル（1まい）、角が四角いわりばし（1ぜん）、ゼムクリップ（1こ）

● **どうぐ**
はさみ、油性ペン、セロハンテープ

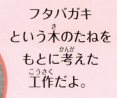

フタバガキという木のたねをもとに考えた工作だよ。

あそび方

たねについているわゴムを発射台のゼムクリップに引っかけます。たねを下に強く引き、手をパッとはなすと、高くとびあがり、くるくると回転しながらおちてきます。

せつめい動画

作り方

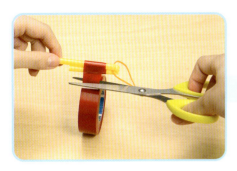

1 ストローをまげてわゴムをはさみ、そのままビニールテープをまきつけてとめる。これがたねのじくとなる。

角を丸く切っておくと、人に当たったときもあんぜんだよ。

2 クリアファイルのおり目からはさみを入れ、よこ2センチメートル、たて15センチメートルになるように切る。

3 2で切ったクリアファイルに油性ペンなどで色をぬる。

4 ストローに2センチメートルの切れこみを入れて、クリアファイルのおり目をさしこみ、セロハンテープでとめる。

5 はねをななめ下にむかっておる。

6 はねをペンにまきつけてゆるいカーブをつける。たねの完成。

7 発射台を作る。ゼムクリップの外がわをまげてわりばしにはさむ。

8 7をビニールテープでぐるぐるまきにしていく。さいごにはさみで切って完成。

とばすときは、人にむけないでね。発射台をまっすぐにもって、上にむかってとばすようにしよう。

せつめいしてみよう

たねコプター

くるくると回るようすがとってもきれいなおもちゃの作り方をせつめいします。

作り方

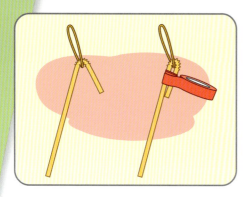

はじめに、たねのじくを作ります。ストローをまげてわゴムをはさみ、そのままビニールテープを2、3しゅうまいて、しっかりととめ、テープを切ります。

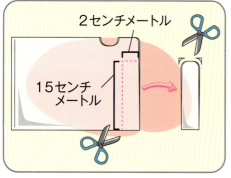

つぎに、たねのはねを作ります。クリアファイルのおり目からはさみを入れ、よこ2センチメートル、たて15センチメートルになるように切ります。それから、角を丸く切ります。

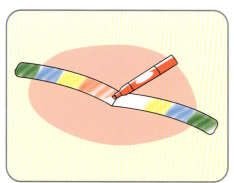

切りとったクリアファイルに、油性ペンなどで色をぬります。すきなもようをかいたり、シールをはったりしてもいいです。

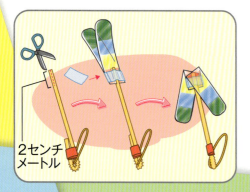

わゴムとはんたいがわのストローの口に、2センチメートルの切れこみを入れます。ここにクリアファイルのおり目をさしこみ、セロハンテープをおもてとうらからはりあわせて、とめます。はねをななめ下にむかっております。

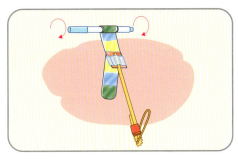

はねをペンにまきつけて、ゆるやかなカーブがつくようにします。これで、たねの完成です。

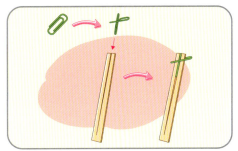

つぎに発射台を作ります。ゼムクリップの外がわをおってまげます。ゼムクリップをわりばしにはさみます。

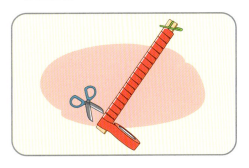

さいごに、ゼムクリップのぶぶんをのこして、ビニールテープでぐるぐるまきにしてとめます。ビニールテープをはさみで切って完成です。

楽しみ方

風が強い日にとばすと、風にのって、遠くまでとんでいくよ。どんなうごきをするか、かんさつしてみよう。

どうしてたねに、はねがついているの？

フタバガキのほかにも、たねの中には、はねがついているものが、たくさんあるよ。自分で歩くことができない草花は、たねを風にのせて、できるだけ遠くまでとばそうとしているんだ。
タンポポのたねにも、わた毛がついていて、遠くまでとぶことができるね。

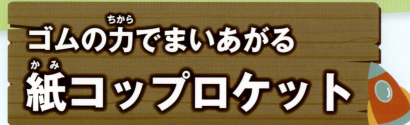

ゴムの力でまいあがる
紙コップロケット

紙コップとゴムが
ロケットに早がわり！

ざいりょうとどうぐ

●ざいりょう
ストロー（1本）、紙コップ中（2こ）、わゴム（1本）、ビニールテープ、色画用紙、丸シール

●どうぐ
はさみ、両面テープ

みぢかな ざいりょうで できる工作だよ。

あそび方

紙コップを発射台にして、ロケットをとばします。発射台の上からロケットをかぶせ、おしつけます。パッと手をはなすと、ロケットがとび上がります。

せつめい動画

作り方

1 ストローの先を5ミリメートルくらい切る。切りとったぶぶんだけをつかう。

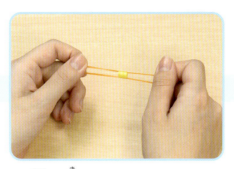

2 1で切りとったストローにわゴムを通す。

3 1つの紙コップのふちに、同じかんかくをあけて4かしょに、5ミリメートルくらいの切れこみを入れる。

4 紙コップの切れこみに写真のようにわゴムをかける。

5 ゴムの上から、ビニールテープを2しゅうまいてはりつける。

6 色画用紙をたて4センチメートル、よこ8センチメートルに切る。それを半分におり、写真の線のように切る。

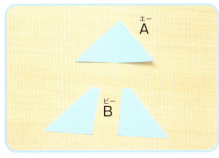

7 写真のように、3まいのはねができる。Bのはしをおって、三角形になるようにする。おったぶぶんはのりしろになる。両面テープをつけて、紙コップの両わきにはる。

8 Aは、写真のようにはってやねにする。さらに、まどになるシールをはったら完成。

せつめいしてみよう

紙(かみ)コップロケット

みぢかなざいりょうで、すぐにできるロケットの作(つく)り方(かた)をせつめいします。

作(つく)り方(かた)

はじめに、ストローの先(さき)を5ミリメートルくらい切(き)ります。切(き)りとったストローにわゴムを通(とお)します。

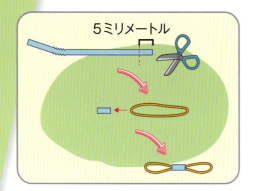

1つの紙(かみ)コップのふちに同(おな)じかんかくをあけて4かしょ、5ミリメートルくらいの切(き)れこみを入(い)れます。紙(かみ)コップの切(き)れこみ4か所(しょ)に、ストローに通(とお)したわゴムをかけ、×の形(かたち)になるようにします。

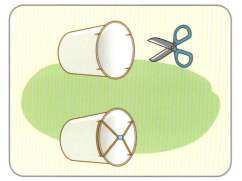

ゴムがずれないように上(うえ)から、ビニールテープをはります。2しゅうまいて、はさみで切(き)って、とめます。

つぎに色画用紙(いろがようし)を、たて4センチメートル、よこ8センチメートルに切(き)ります。それを半分(はんぶん)におって、おり目(め)が左(ひだり)にくるようにおきます。左上(ひだりうえ)のはしと右下(みぎした)のはしから1センチメートルのところをつなぐ線(せん)を引(ひ)き、その上(うえ)をはさみで切(き)ります。三角形(さんかくけい)が1つと、台形(だいけい)が2つできます。

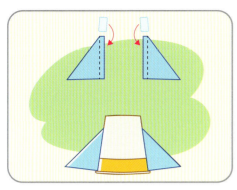

2つの台形のはしをおって三角形にします。おったところに両面テープをはります。紙コップをさかさまにして、左右にはりつけます。

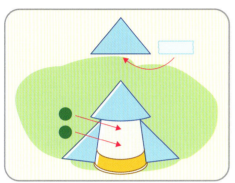

さいごに、三角形のぶぶんを両面テープで紙コップの底のまわりにはりつけます。シールをはって、まどを作って完成です。もう1つの紙コップを発射台にしてあそびます。

楽しみ方

ロケットのかわりにカエルや、ウサギなど、どうぶつの絵をかいてもいいね。

どうして紙コップロケットはとぶの？

ひみつはわゴムにあるよ。ゴムには外から力をくわえると形をかえ、その力がなくなると元にもどるせいしつがあるんだ。
ロケットをおさえていた手をはなすと、のびていたわゴムがちぢもうとする。このときに生まれる力をつかってロケットはとぶんだ。

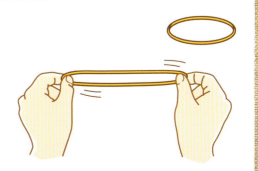

ふしぎな形の正体は？
リンググライダー

２つのリングが
おどろくほど
よくとぶ！

ざいりょうとどうぐ

●ざいりょう
ペットボトル 丸いもの（１本）、ビニールテープ、ストロー（２本）

●どうぐ
カッター、はさみ、油性ペン、セロハンテープ

ふしぎな形だけど、
すーっと
よくとぶよ。

あそび方

ビニールテープがまいてある方を前にして、手で前におし出すようにしてはなすとよくとびます。

せつめい動画

作り方

1 ペットボトルに2か所ビニールテープをまく。

2 ビニールテープのはばに合わせて、カッターとはさみをつかってペットボトルをリングになるように切りぬく。

ちゅうい カッターの刃で、ゆびを切らないようにちゅういしよう。

工作のわざ！ **4**のわざをつかうよ。

3 2つのリングができる。1つのリングのビニールテープをはがして、すきな色をぬる。

もう1つのリングのビニールテープははったままにしておくよ。ビニールテープがおもりになるんだ。

つなげたら、リングの中をのぞいてみよう。2つのリングがかさなって見えていたらOK。大きくずれていたら、いちをずらして、はりなおそう。

4 ストローを15センチメートルの長さに切る。

5 2つのリングの内がわからセロハンテープでストローをはりつけてつなげる。

せつめいしてみよう

リンググライダー

リンググライダーの作り方をせつめいします。ペットボトルを切りぬくときは、けがをしないように気をつけましょう。

作り方

はじめに、ペットボトルに2か所、ビニールテープをまきます。

ビニールテープのはばに合わせて、ペットボトルを切りぬき、リングを作ります。

まずカッターで切れこみを入れ、つぎにはさみをつかって、上から下にむけて切っていくと、きれいに切れます。

1つのリングのビニールテープをはがして、油性ペンですきな色をぬります。もう1つのリングはそのままにしておきます。

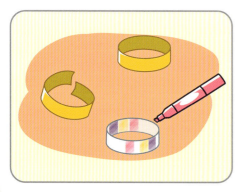

つぎに2本のストローを15センチメートルの長さに切ります。

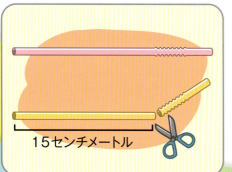

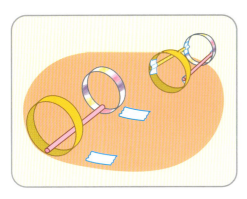

さいごに、2つのリングの内がわに、セロハンテープでストローをはりつけます。

リングの中をのぞいて、リングとリングがかさなって見えるか、たしかめましょう。大きく、ずれているときは、ストローをはがし、いちをずらしてはりなおします。

楽しみ方

そのままとばしてあそんでも、まと当てをしても楽しいです。

どうしたらもっとよくとぶかな？

リングのはばや、ストローの長さをかえたらとび方はかわるかな？ ペットボトルじゃなくて画用紙などの紙をわっかにしてみるとどうだろう？
いろいろためしてみよう。うまくできると、10メートルくらいとばすこともできるよ。

くるくる回して遠くまでとばそう
紙ざらフリスビー

紙ざらで
あっというまに
できる！

ざいりょうとどうぐ

●ざいりょう
紙ざら（1まい）、シール

●どうぐ
はさみ、ホチキス、油性ペン

ちょっと手をくわえるだけで紙ざらがフリスビーに。

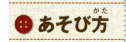 あそび方

地面にたいして水平にもちます。手首を後ろにいきおいよくふって、はずみをつけ、前にもどすときにパッとはなします。

 せつめい動画

作り方

1 紙ざらに2センチメートルずつのかんかくで切りこんで、ひだをつくる。

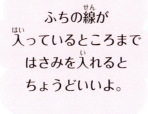

ふちの線が入っているところまではさみを入れるとちょうどいいよ。

2 ひだを写真のように内がわにおっていく。

3 2でおったひだを立てて、となりあったひだとひだをホチキスでとめていく。

4 シールをはったり、色をぬったりしてかざる。

すきなイラストやもようをかいてもいい。自分だけのフリスビーを作ろう。

せつめいしてみよう

紙ざらフリスビー

みぢかな紙ざらをひとくふうするだけで、フリスビーに早がわり。作り方をせつめいします。

作り方

はじめに、紙ざらのふちの線が入っているところを、切りこみます。2センチメートルおきに切れこみを入れていき、ぜんたいにひだを作ります。

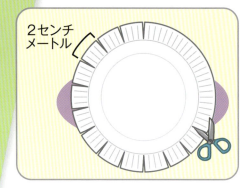

つぎに、ひだになっているところを内がわにおっていきます。ぜんぶおったらうらがえして、ひだを立てます。

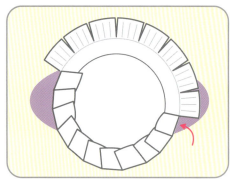

となりあったひだとひだを、ホチキスでとめます。これをくりかえして、ぜんたいをとめます。

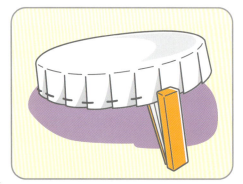

さいごにシールをはったり、色をぬったりして、かざりつけます。すきなどうぶつやキャラクターのイラストをかいてもいいです。シールをはるときは、ぜんたいにかたよりなくはった方が、うまくとびます。

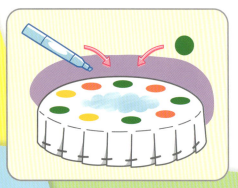

楽しみ方

友だちとペアになって、投げたりキャッチしたりして、あそんでもいいです。

フリスビーをじょうずにとばすコツは？

紙ざらをそのまま投げるとどうなるだろう？ ぺらっとめくれて、あまりとばないね。けれど、ふちを立てることで、めくれにくくなるよ。
フリスビーを投げるときは、よく回転させるのがポイント。「ジャイロ効果」といって、物は回転すると姿勢がくずれにくくなるせいしつがあるんだ。こまが回っているときに、たおれないのもジャイロ効果のためなんだよ。

ジャイロ効果

回っていないときのコマ

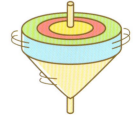

回っているときのコマ

はくりょく満点 風船ロケット

おしりをおすと
いきおいよく
とび出す！

ざいりょうとどうぐ

● ざいりょう
細長い風船（1こ）、色画用紙（1まい）
● どうぐ
はさみ、セロハンテープ、空気入れ、両面テープ

ざいりょうは
風船と
色画用紙だけ！

あそび方

かた方の手でしっかりと風船をもち、もうかた方の手のゆび先で風船のむすび目を強くおします。おしたまま手をはなすと、いきおいよく風船がとび出します。

せつめい動画

作り方

1 風船をはさみで半分に切る。

2 1で切った風船のかた方を空気入れでふくらませて、口をしばる。

3 もうかた方の風船を2の風船にむすびつける。

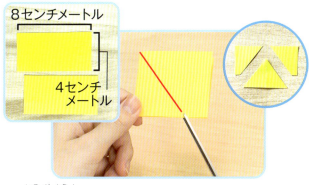
4 色画用紙をたて4センチメートル、よこ8センチメートルに2まい切る。それを1まいずつ半分におって、写真の線のように切ってはねをつくる。

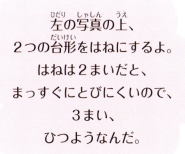

左の写真の上、2つの台形をはねにするよ。はねは2まいだと、まっすぐにとびにくいので、3まい、ひつようなんだ。

5 写真のように3つの台形のぶんの、はしをおりかえす。

6 3つの台形のおりかえしたぶんに両面テープをつけて風船にはりつける。

むすびつけた風船は、おもりのやくわりをするよ。こうすると重心が前にずれる。そうすると、バランスがとれてよくとぶことができるんだ。

せつめいしてみよう

風船ロケット

かんたんなつくりなのに、よくとぶ風船ロケットの作り方をせつめいします。

作り方

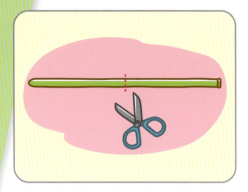

はじめに、細長い風船をはさみで半分に切ります。

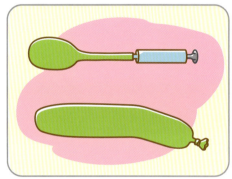

2つに切った風船のうち、1つの風船を空気入れでふくらませて、口をかたくしばります。

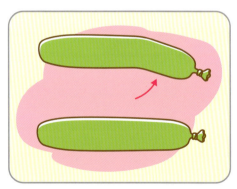

風船がまがっていたら、まっすぐになるように形をととのえます。まがっているむきとぎゃくの方向に風船をかるくまげると、まっすぐになります。

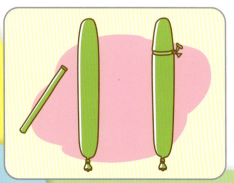

つぎに、もうかた方の風船を、ふくらませた風船にむすびつけます。これはおもりになって、風船をとびやすくするやく目をはたします。

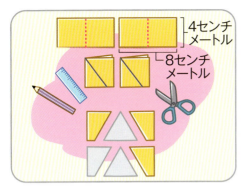

　色画用紙をたて4センチメートル、よこ8センチメートルに2まい切ります。それを1まいずつ半分におって、おり目が左にくるようにおきます。左上のはしと右下のはしから1センチメートルのところを、線でむすび、その線にそって切ります。切ったあとにできる、3つの台形をロケットのはねにします。

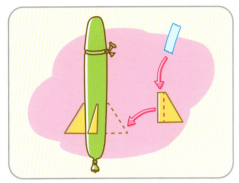

　さいごに、イラストのように、はねをおり、おり目に両面テープをつけて、風船にはりつけたら完成です。
　風船にシールをはったり、油性ペンでイラストをかいてもいいです。

楽しみ方

　友だちとどちらが遠くまでとばせるかきょうそうしてもおもしろいです。

細長い風船をつかうのはなぜ？

　先が丸くて細長い形は、「流線形」といって、空気の抵抗（すすもうとする方向とぎゃくむきにはたらく力）をうけにくい形なんだ。本物のロケットや、新幹線の形を思い出してみて。やっぱり先が丸くて細長いよね。
　それは水の中でも同じ。魚のからだは細長いよね。これは水の中をすいすいおよぐのにちょうどいいんだ。

プロペラはタコのあし
タココプター

タコのあしが
くるんと高く
とんでいく！

ざいりょうとどうぐ

●ざいりょう
紙コップ中（2こ）、角が丸いわりばし（1本）、スチロール球 直径25ミリメートル（1こ）

●どうぐ
えんぴつ、はさみ、プッシュピン、セロハンテープ、油性ペン

あそばないときは、かざりとしておいてもかわいいね。

 プッシュピンをつかうときはけがをしないようにちゅういしよう。

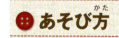 あそび方

わりばしを両手ではさんで、右手を前にこすり出し、タコを回転させます。タコのあしのプロペラがいきおいよくとびだします。

 せつめい動画

作り方

1 2つの紙コップに、底から2センチメートルのところに線を引く。

2 1つの紙コップの底をぬく。

3 1で引いた線にむかって8等分になるように、ふちから切れこみを入れる。

4 ひだをななめ左におる。すべてのひだを、同じようにおってはねにする。これがプロペラになる。

5 もう1つの紙コップで発射台を作る。1で引いた線にそって切る。

6 5の紙コップの底にプッシュピンであなをあけ、えんぴつのしんを入れてあなを広げる。

7 わりばしを6のあなにさしこんで1センチメートルつき出させたところで、セロハンテープをはってとめる。

8 スチロール球に油性ペンで色をぬり、タコの顔をかく。

9 わりばしに頭をさす。はねを発射台にかぶせて完成。

せつめいしてみよう

タココプター

かわいらしくて、よくとぶタコのおもちゃの作り方をせつめいします。

作り方

2センチメートル

はじめに、2つの紙コップに、底から2センチメートルのところに線を引きます。ビニールテープの上にえんぴつをのせて紙コップにあて、えんぴつからはなれないように紙コップを回していくと、きれいに線がかけます。

1つの紙コップの底をぬきます。底のまわりのふちをはさみで切ると、底がきれいにぬけます。

底をぬいた紙コップのふちに、8等分になるようにしるしをつけ、ふちから線まで直角になるように切れこみを入れます。

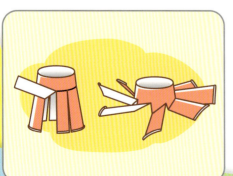

切れこみを入れてできたひだをななめ左におります。すべてのひだを、同じようにおってはねにします。これでプロペラの完成です。

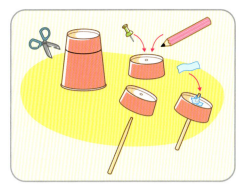

つぎに、もう1つの紙コップで発射台を作ります。はじめに引いた線にそってはさみで切っていきます。

紙コップの底にプッシュピンであなをあけます。あながあいたら、えんぴつのしんをさしこみ、あなを少し広げます。

わりばしを紙コップの口からあなにさしこんで1センチメートルくらいつき出させます。セロハンテープをはってわりばしと紙コップをとめます。

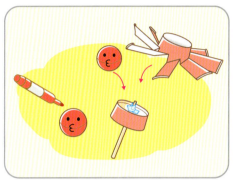

さいごに、スチロール球に油性ペンで色をぬって、タコの顔をかき、わりばしにさします。はねを発射台にかぶせて完成です。

楽しみ方

スチロール球をささないで、プロペラに丸シールをはると、ＵＦＯみたいな見た目に！

どうしてプロペラがとぶの？

プロペラは換気扇やせんぷう機など、身近なものにもついているね。そのはねはかならず、ななめになっている。ななめについているはねを回転させると、はねが空気を下むきにおし出すよ。タココプターはこの力をつかってとんでいるんだ。

プロペラは回転するむきが大切。左むきのはねをとばすには、かならず右手を前にこすりだして、左むきに回転させよう。左手を前にこすり出して右に回転させると下におちてしまう。左手が前の方が回転させやすい人は、はねを右むきにおるといいよ。

宇宙をめざしてひとっとび！スーパーボールロケット

ざいりょうとどうぐ

● ざいりょう
ストロー（1本）、ビニールテープ、色画用紙（1まい）、竹ぐし 12センチメートル以上のもの（1本）、スーパーボール（1こ）

● どうぐ
はさみ、両面テープ、セロハンテープ、プッシュピン

スーパーボールのエネルギーでとび上がる！

おなじみのスーパーボールがだいかつやく。

ちゅうい あそぶときは、広いところをえらんで、人の顔にむけてとばさないようにしよう。

あそび方

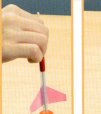

発射台の竹ぐしにロケットのストローのぶぶんをかさね、竹ぐしの先をつまんでもちます。うでを前にのばして立ち、ゆかの上で手をはなすと、ゆかにおちた反動でロケットが高くとびあがります。

せつめい動画

作り方

1 ストローを8センチメートルに切る。

まいたほうがロケットの先たんになるよ。

2 ストローのかたがわにビニールテープを2しゅうまく。

3 色画用紙をたて3センチメートル、よこ12センチメートルに切って、写真のようにWの形におる。

4 おりたたんだ色画用紙を、写真の線のように切る。

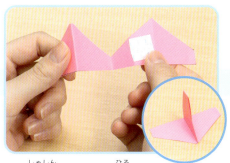

5 写真のように広げ、かさなりあうところを両面テープでとめる。3まいのはねができる。

6 ストローにセロハンテープではねをはりつけて、ロケットの完成。

7 スーパーボールにプッシュピンであなをあける。

8 あなに竹ぐしの先をぎゅっとさしこんで、発射台の完成。

くしをさすときは、かたむけないで、もち手が真上をむくようにするとあんぜんに作業できるよ。

ちゅうい プッシュピンや竹ぐしの先でけがをしないようにちゅういしよう。

せつめいしてみよう

スーパーボールロケット

いきおいよく空高くとぶ、ロケットの作り方をせつめいします。

作り方

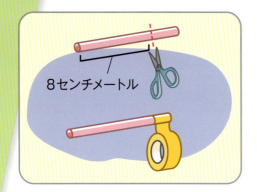

はじめに、ロケットを作ります。まずストローを8センチメートルに切ります。

ストローのかたがわにビニールテープを2しゅうまきます。

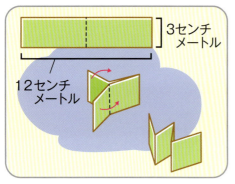

つぎに、色画用紙をたて3センチメートル、よこ12センチメートルに切って、半分におります。その色画用紙の両はしを、外がわにめくって、さらに半分におります。うらも半分におります。よこからみるとWのような形になります。

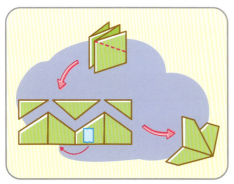

おりたたんだ色画用紙を、図の点線のように切ります。切りとったものを、図のように両面テープでとめます。すると、3まいのはねができます。

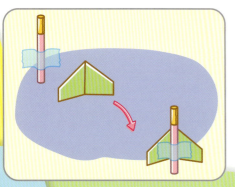

はねの内がわのぶぶんにストローをセロハンテープではりつけて、ロケットの完成です。

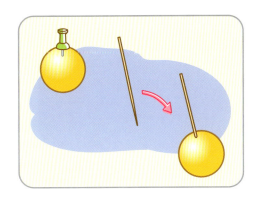

さいごに発射台を作ります。スーパーボールにプッシュピンであなをあけます。竹ぐしのもち手が真上をむくようにもち、あなにぎゅっとさしこんで、発射台の完成です。発射台の竹ぐしにロケットのストローをさしこんであそびます。

楽しみ方

高いところからおとしたり、発射台を大きなスーパーボールにかえたりすると、さらに高くとぶようになります。

スーパーボールロケットがとぶのはなぜ？

スーパーボールロケットをおとすと、発射台のスーパーボールがロケットとぶつかる。そのときスーパーボールの上方向にとぶ力がロケットにつたわる。そのおかげで、ロケットは高くとぶことができるんだ。この現象をむずかしいことばで「運動量保存の法則」というよ。
同じしくみをりようしたスポーツがカーリングだよ。止まっているストーンにほかのストーンがぶつかると、その運動がつたわってうごき出す。ぶつかりあうときのいきおいや、いちによって、すすむ方向やきょりがちがうのがおもしろいところだ。

空とぶふしぎなはこ
はこヒコーキ

見たことのない
四角い
ひこうき！

ざいりょうとどうぐ

● **ざいりょう**
工作用紙（1まい）、ストロー（4本）、ゼムクリップ（4～8本）

● **どうぐ**
はさみ、えんぴつ、じょうぎ、セロハンテープ、両面テープ

ただのはこ？
と思ったら、
びっくり！

あそび方

ゼムクリップがついている方を、下がわにして、人がいないところで、少し上にむかって投げるとよくとびます。

せつめい動画

作り方

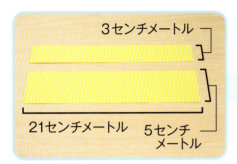

1 工作用紙をたて5センチメートル×よこ21センチメートルと、たて3センチメートル×よこ21センチメートルに切る。

2 2まいの工作用紙に5センチメートルごとに、たて線を引く。はしにのこる1センチメートルはのりしろになる。

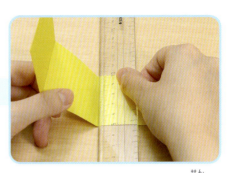

3 じょうぎをあてながら線にそっておっていく。

4 ストローを15センチメートルに切る。

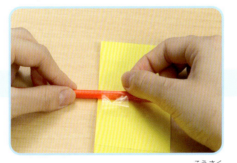

5 たて5センチメートルの工作用紙のおり目に合わせてストローをはる。4かしょすべてのおり目にはっていく。

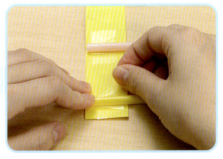

6 ストローのはんたいがわにたて3センチメートルの工作用紙をはっていく。

7 のりしろに両面テープをはり、写真のように、はこの形にする。

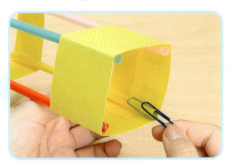

8 はば5センチメートルの工作用紙の下、2本のストローに、ゼムクリップをさしこんで完成。

すきな色のストローと画用紙で自分だけのひこうきを作ってみよう。

せつめいしてみよう

はこヒコーキ

工作用紙とストローだけでできる、ひこうきの作り方をせつめいします。

作り方

はじめに、工作用紙をたて3センチメートル×よこ21センチメートル、たて5センチメートル×よこ21センチメートルに切ります。

つぎに工作用紙に5センチメートルごとに、たて線を引きます。はしのあまったところはのりしろになります。

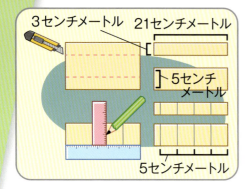

5センチメートルごとに引いた線にじょうぎをあてて、まっすぐになるようにおっていきます。

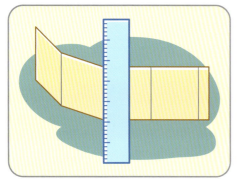

つぎにストローを15センチメートルに切ります。
たて5センチメートルの工作用紙のおり目に合わせてストローをはります。セロハンテープを2まいずつ、つかってしっかりはります。4かしょすべてのおり目に、ストローをはります。

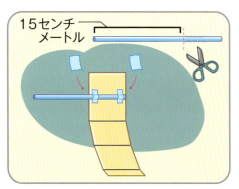

ストローのはんたいがわにたて3センチメートルの工作用紙をはります。

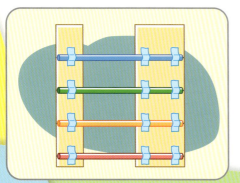

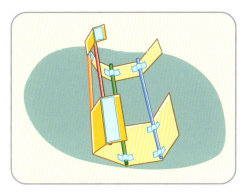

はこの形になるように形をととのえ、のりしろに両面テープをはってとめます。

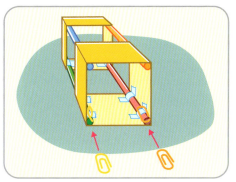

はば5センチメートルの工作用紙をはった方が前になります。さいごに、前の下がわ2本のストローにゼムクリップをさしこんで完成です。

楽しみ方

うまくとばないときは、ストローにとりつけるゼムクリップの数をふやすと、よくとぶようになります。

はこヒコーキのつばさはどこ？

ひこうきのつばさというと、どんな形をイメージするかな？ひこうきのつばさは、風をうけて、それを下におし出すやく目をしているよ。じつは、はこヒコーキは、はこのぶぶんがつばさになっているんだ。

はこヒコーキをとばすときは、少し上にむかってなげるのがポイント。そうすると、前がわが上がった、ななめのじょうたいになって、空気が下におし下げられ、上むきの力が生まれるんだ。こうして生まれた上むきの力によって、はこヒコーキは長くとぶことができるんだよ。

監修 ささぼう

1989年、東北生まれ。大学では環境学を専攻。卒業後、地元の科学館に学芸員として就職。主に小学生を対象とした工作教室やサイエンスショーの企画を多数手がける。2021年11月、科学工作・科学あそびを紹介するブログ「かがくらふと」を開設。2023年2月、同名YouTubeチャンネル「かがくらふと」を開設。科学をあそびとして発信する活動を行っている。

- 装丁・デザイン　ニシ工芸株式会社（塚野初美）
- イラスト　是村ゆかり
- 撮影　今福 克
- 写真　PIXTA
- 編集協力　ニシ工芸株式会社
　　　　　　（野口和恵、大石さえ子、猫野クロ、高瀬和也）

**授業でつかえる！
おもちゃを作ってせつめいしよう
全3巻**

①うごく！ 生きもののおもちゃ
②わくわく！ あそべるおもちゃ
③びっくり！ とぶおもちゃ

全巻セット定価：10,560円
（本体9,600円＋税10%）
ISBN978-4-580-88816-6

授業でつかえる！ おもちゃを作ってせつめいしよう
③びっくり！ とぶおもちゃ　　ISBN978-4-580-82677-9
C8372 NDC759　40P　26.4×21.7cm

2024年11月30日　第1刷発行

監　修　ささぼう
発行者　佐藤諭史
発行所　文研出版
　　　　〒113-0023　東京都文京区向丘2丁目3番10号
　　　　〒543-0052　大阪府大阪市天王寺区大道4丁目3番25号
　　　　電話 (06) 6779-1531　児童書お問い合わせ (03) 3814-5187
　　　　https://www.shinko-keirin.co.jp/
印刷所／製本所　株式会社 太洋社

© 2024 BUNKEN SHUPPAN Printed in japan
万一不良本がありましたらお取替えいたします。
本書のコピー、スキャン、デジタル等の無断複製は、著作権法の例外を除いて禁じられています。本書を代行業者等の第三者に依頼してスキャンやデジタル化することは、たとえ個人や家庭内の利用であっても著作権法上認められていません。

おもちゃを作るとき あるとべんりな どうぐ

はさみ

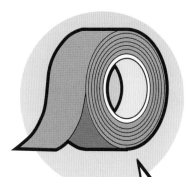
養生(ようじょう)テープ
手で切りやすく、はがしやすいテープ。ペットボトルをまっすぐ切るとき、めじるしのために貼るとべんりだよ。

えんぴつ

油性(ゆせい)ペン

カッターマット
カッターマットの上で切るときは、紙をしっかりおさえて、うごかないようにしよう。

カッター
するどい刃(は)がついているから、つかうときは刃の下にゆびがいかないように、もち方をかんがえよう。紙を切るときは、カッターマットをつかうと、カッターの刃がすべりづらいので安全(あんぜん)だし、つくえなどもきずつけないよ。